마법의 시간여행

닌자가 알려 준 세 가지 비밀

펜 술탄에게

MAGIC TREE HOUSE # 5

NIGHT OF THE NINJAS

by Mary Pope Osborne and illustrated by Sal Murdocca

Text Copyright © 1995 by Mary Pope Osborne
Illustrations Copyright © 1995 by Sal Murdocca

Korean Translation Copyright © 2002 by BIR

Korean translation edition is published by arrangement with Random House Children's Books,
a division of Random House, Inc. New York, New York, USA through KCC.

이 책의 한국어판 저작권은 KCC를 통해 Random House Children's Books,
a division of Random House, Inc.와 독점 계약한 (주)비룡소에 있습니다.

마법의 시간여행 ⑤

닌자가 알려 준 세 가지 비밀

메리 폽 어즈번 지음
살 머도카 그림/ 노은정 옮김

 비룡소

차례

이야기를 시작하기 전에

어느 여름날, 미국 펜실베이니아 주에 있는 프로그 마을 숲의 나무 위에 신기한 오두막집이 나타났습니다.

아홉 살 난 잭과 일곱 살 난 잭의 여동생 애니는 그 오두막집으로 올라갔습니다. 오두막집 안에는 책들이 그득했습니다.

잭과 애니는 곧 이 오두막집이 평범하지 않다는 것을 발견하게 되었습니다. 책에 나온 이야기 속으로 아이들을 데려갈 수 있는 신비로운 힘을 지녔던 거예요. 그저 책에 있는 그림을 가리키며 거기에 가고 싶다는 소원을 말하면 되었어요.

잭과 애니는 공룡시대, 기사들이 살던 중세시대, 피라미드가 있던 고대 이집트, 해적들의 배에도 다녀왔습니다.

그러던 중에, 잭과 애니는 이 신기한 오두막집이 모건 르 페이 할머니의 것이라는 것을 알게 되었죠. 모건 할머니는 아서 왕의 시대에서 온 요술쟁이 사서로 시간과 공간을 넘나들며 책을 모으고 있었습니다.

이제 잭과 애니는 또다시 새로운 모험을 떠나려고 해요. 바로 『닌자가 알려 준 세 가지 비밀』에서 말이에요.

1
다시 숲으로

"다시 가 보자, 오빠." 애니가 말했어요.

잭하고 애니는 도서관에서 집으로 돌아가는 길이었어요. 집으로 가는 길은 프로그 숲의 바로 옆으로 이어져 있었어요.

잭은 한숨을 쉬었습니다.

"오늘 아침에도 찾아봤잖아. 어제도 봤고, 그 전날도 봤고."

"그럼 오빠는 오지 마. 나 혼자 보고 올 거야."

애니는 그렇게 말하더니 숲 속으로 들어가 버렸습니다.

"애니! 기다려!" 잭이 불렀어요. "밤이 다 되었어. 집에 가야 해!"

하지만 애니는 이미 나무들 사이로 사라져 버린 뒤였지요.

잭은 숲을 멍하니 바라보았습니다. 이제는 희망도 사라지고 있었어요. 다시는 모건 할머니를 보지 못할지도 모른다는 생각까지 들었어요.

몇 주가 흘렀지만, 모건 르 페이 할머니의 흔적은 단 한 번도 나타나지 않았습니다. 모건 할머니의 마법의 오두막집도 전혀 보이지 않았고요.

"오빠!" 애니가 숲 속에서 소리쳐 불렀습니다. "돌아왔어!"

'아이고, 쟤가 또 상상놀이를 하나 봐.' 하고 잭은 생각했어요. 하지만 잭의 마음은 두근거리기 시작했습니다.

"빨리빨리!" 애니가 또다시 외쳤어요.

"또 장난이면 가만두지 않을 테야."

잭은 이렇게 혼잣말을 하고는, 애니를 찾아서 숲속으로 들어갔습니다.

밤은 금세 찾아들었어요. 귀뚜라미들은 큰 소리로 울어댔죠. 어찌나 깜깜한지 거의 아무것도 보이지 않을 정도였어요.

"애니!" 잭이 소리쳐 불렀습니다.

"여기야!" 애니의 대답이 들려 왔습니다.

잭은 계속해서 걸었습니다.

"여기가 어딘데?" 하고 잭이 되물었습니다.

"여기지 어디야!"

애니의 목소리는 위쪽에서 들려 오고 있었어요.

잭은 고개를 들어 위를 바라보았습니다.

"세상에!"

잭은 그만 입이 벌어지고 말았습니다.

애니가 나무 위에 있는 오두막집 창문에서 손을

흔들고 있었거든요! 그 나무는 그 숲에서 가장 키가 큰 참나무였습니다. 기다란 줄사다리가 오두막집 아래로 드리워져 있었어요.

'마법의 오두막집이 돌아온 거야!'

"올라와!" 애니가 외쳤어요.

잭은 한달음에 사다리로 뛰어갔습니다. 그리고 기어오르기 시작했어요.

잭은 열심히, 아주 열심히 사다리를 올랐습니다.

기어오르면서 잭은 숲을 내려다보았어요. 나무 꼭대기까지 거의 다 올라와 보니, 나무 위쪽은 아직

도 대낮처럼 환했습니다.

마침내 잭은 오두막집 밑바닥에 난 구멍으로 기어들어갔습니다.

애니가 어둠 속에 앉아 있었습니다. 책들은 여기저기 흩어져 있었고요.

바닥에는 M(엠)자가 희미하게 빛을 내고 있었습니다. 그 M자는 이 마법의 오두막집이 모건 르 페이 할머니의 것임을 뜻하는 표시였습니다.

하지만 모건 할머니의 흔적은 아무 데도 없었어요.

"모건 할머니는 어디에 계신 걸까?" 잭이 말했습니다.

"책을 더 모아 오시려고 도서관에 가셨을지도 몰라." 애니가 대답했어요.

"우리도 방금 도서관에서 오는 길이잖아. 그럼 할머니를 봤어야지. 게다가 지금쯤이면 도서관도 문을 닫았을 텐데." 잭이 말했어요.

"찍!"

조그만 생쥐가 책 더미 뒤에서 쪼르르 달려나왔습니다. 그러고는 마룻바닥에서 빛나고 있는 M자가 있는 곳으로 달려갔어요.

"엄마야!" 애니가 소리쳤어요.

그런데 생쥐가 M자 한가운데에 앉더니 잭하고 애니를 올려다보는 것이 아니겠어요?

"정말 귀엽다!" 애니가 감탄했어요.

솔직히 잭이 보기에도 그 생쥐는 귀여웠습니다. 갈색과 흰색 털이 어우러진 데다 눈동자가 아주 크고 짙은 생쥐였거든요.

애니는 천천히 손을 생쥐에게 내밀었어요. 생쥐는 가만히 있었어요. 애니는 생쥐의 조그마한 머리를 쓰다듬었습니다.

"안녕, 피너트? 널 피너트라고 불러도 되겠니?" 애니가 생쥐에게 말을 걸었어요.

"또 시작이군!" 잭이 한숨을 지었습니다.

"모건 할머니가 어디 계신지 너 아니?" 애니가 물

15

었어요.

"찍!"

"애니, 이 바보야. 이 생쥐가 이 오두막집 안에 있다는 이유로 마법에 걸렸을 거라고 생각하다니. 쟨 어쩌다 오두막집 안에 들어오게 된 보통 생쥐야. 알아?" 잭이 핀잔을 주었어요.

잭은 주위를 둘러보다 바닥에서 종이 한 장을 발견했습니다.

"저게 뭐지?" 잭이 물었어요.

"뭘?" 애니가 물었어요.

잭은 그 쪽으로 가서는 종이를 집어 들었습니다. 종이 위에는 글이 적혀 있었어요.

"큰일났다!" 글을 읽고 난 잭이 나직이 외쳤어요.

"오빠, 뭔데?"

"쪽지야. 모건 할머니가 쓴 것 같아. 할머니한테 무슨 일이 생긴 게 틀림없어!"

2
펼쳐진 책

잭은 애니에게 그 종이를 보여 주었어요. 거기엔 이렇게 적혀 있었죠.

도와 다오. 마법에 걸렸단다.
네가지 물건을 찾—

"이런! 우리가 도와 드려야 해. 근데 오빠, '찾
—'이 뭐야?" 애니가 물었어요.

"아마도 '찾아라' 하고 쓰려고 하셨던 것 같아. 봐, '찾 —' 하는 글자가 흘려 씌어 있잖아."

"마법에 걸려서 사라지거나 뭐 어떻게 되셨나 봐." 애니가 덧붙였습니다.

"맞아. 다른 실마리를 남기신 게 없을까?"

잭은 오두막집 안을 훑어보았어요.

"오빠, 봐!"

애니가 구석에 있는 책을 가리켰습니다.

"이 집 안에서 저 책만 펼쳐져 있어." 애니가 말했어요.

잭은 다시 주위를 둘러보았습니다. 애니의 말이 맞았어요. 잭은 등골이 오싹했습니다.

잭은 책이 있는 곳으로 가서 그 책을 집어 들었습니다. 그러고는 창으로 들어오는 희미한 저녁 빛에 비추어 보았죠. 저녁놀이 책을 황금빛으로 물들였습니다.

잭은 책에 있는 그림을 찬찬히 들여다보았어요.

그림 속에는 흰 벚꽃이 핀 나무들이 있었어요. 그 나무들은 어떤 산자락에 있었죠. 그리고 산자락 근처에는 폭이 넓고 물살이 거센 계곡물이 흐르고 있었습니다.

그림 속에는 사람도 둘이나 있었어요. 모두 까만 옷을 입고 있었죠. 까만 천으로 얼굴을 가리고는, 등에 기다란 칼을 차고 있었습니다.

"세상에!" 잭이 나직한 소리로 외쳤어요.

"이 사람들은 누구야?" 애니가 물었습니다.

"닌자들인 것 같아." 잭이 대답했어요.

"닌자? 정말이야?" 애니가 놀라 되물었어요.

"애니, 모건 할머니가 여기에 이 그림을 펼쳐 두신 데는 무슨 이유가 있는 게 틀림없어."

"오빠, 마법에 걸렸을 때 할머니가 이 그림에 나오는 곳에 계셨을지도 몰라."

"아니면 네 가지 물건이 있는 곳이 바로 여길 수도 있고." 잭이 말했어요.

"가자!" 애니가 말했어요.

"지금 당장?" 잭이 놀라 물었습니다.

"그럼! 모건 할머니를 도와 드려야지! 꾸물거리다 가는 할머니한테 무슨 일이 생길지 모르잖아!" 애니는 마음이 다급했어요.

"그래도 우선 이 책부터 잘 읽어 봐야지. 그래야 준비를 할 수 있잖아." 잭은 선뜻 애니의 말을 따르지 않았어요.

"됐어! 지금 이러고 있을 시간이 없단 말이야!" 애니는 잭에게서 책을 빼앗으며 말했습니다.

"이리 줘. 이 곳에 대한 공부부터 하고 가야 한단 말이야." 잭도 결코 양보하지 않았어요.

애니는 잭의 손이 닿지 않는 곳으로 책을 빼돌리며 말했어요.

"거기 가면 모든 걸 알게 될 거야."

"넌 거기가 어떤 곳인지도 모르면서!" 잭은 계속 말렸어요.

하지만 애니가 그림을 가리키며 결국 말하고 말 았습니다.

"이 곳에 가고 싶다."

참나무의 잎사귀들이 흔들리기 시작했어요.

"찍!"

"겁먹을 것 없어, 피너트."

애니는 이렇게 말을 하며 생쥐를 손에 태워 자기 티셔츠의 앞주머니에 넣었습니다.

바람이 불기 시작했어요.

점점 더 거세게.

나무 위 오두막집도 돌기 시작했죠.

뱅글뱅글 점점 더 빠르게!

잭은 두 눈을 질끈 감았습니다.

잠시 뒤에 모든 게 잠잠해졌습니다. 쥐죽은듯이.

계곡물이 흘러가는 소리만 빼고 말이에요.

3
어이!

잭은 눈을 떴습니다.

애니는 벌써 창 밖을 내다보고 있었어요. 생쥐도 주머니에서 고개를 내밀었습니다.

잭도 창 밖을 내다보았습니다. 공기는 상쾌하고 서늘했어요.

마법의 오두막집은 하얀 벚꽃들이 활짝 핀 나무 위에 얹혀 있었고, 그 나무는 산자락에 빼곡 난 나무들 가운데 서 있었습니다. 근처에는 계곡물이 콸

콸 흘러가고 있었죠.

닌자 두 명이 계곡 주변에 있는 바위에 서 있었습니다. 계곡 아래쪽을 바라보면서 말이에요.

그 중 한 명은 키가 컸고, 다른 한 명은 작았습니다. 검은 바지와 검은 윗도리를 입고 있었어요. 그리고 머리에는 검은 두건을 쓰고 있었습니다. 등에는 기다란 칼도 차고 있었어요.

책 속에 있는 그림하고 아주 똑같았습니다.

잭은 창문 아래로 몸을 숨겼어요.

"조심해. 저 사람들한테 들키지 않게." 잭이 속삭였습니다.

"왜?" 애니 역시 소곤소곤 물었습니다.

"우리를 죽일 수도 있잖아." 잭은 들릴락말락한 작은 소리로 말했습니다.

애니는 오빠 옆에 웅크리고 앉았습니다.

잭이 안경을 치켜올렸어요. '이제' 드디어 닌자에 대한 책을 읽어볼 참이었습니다.

잭은 책을 집어 들었습니다. 첫 부분을 펼쳐 읽어 내려갔습니다.

닌자라고 불렸던 도술을 잘 하는 신비한 무사들에 대해서 알려진 것은 아주 적다. 역사학자들은 닌자들이 14세기에서 17세기 사이에 일본에 살았다고 믿고 있다. 닌자 중에는 남자뿐 아니라 여자도 있었다. 몸놀림이 아주 날쌔고 주로 검은 옷을 입고 활동하여 그림자 무사라고 불렸던 닌자들은 때로 자기 가족을 보호하기 위해서 싸웠다. 또 어떤 때는 강력한 군사력을 배경으로 정치적인 특권을 장악한 군인 집단(군벌)이 닌자들에게 스파이 노릇을 시키기도 했다.

"와! 우린 지금 일본의 수백 년 전 시대에 와 있어." 잭이 소곤댔습니다.

잭은 자기 배낭을 열어서 공책과 연필을 꺼냈습니다. 잭은 무엇이건 적어 두는 것을 좋아했거든요.

잭은 이렇게 적었습니다.

닌자들은 옛날 일본에 살았던 무사들이다.

"오빠, 저 사람들이 나무 위를 바라보고 있어. 아무래도 우리가 여기 있는 걸 눈치챘나 봐." 애니가 속삭였어요.

잭은 창틀 너머를 살짝 훔쳐보았습니다. 잭의 눈이 키가 큰 닌자의 검은 눈동자와 딱 마주치고 말았어요.

"어이!" 닌자가 소리쳤어요. 그러고는 나무를 향해서 재빨리 달려왔습니다. 다른 닌자도 뒤를 따라왔습니다.

"엄마야!" 애니는 겁을 먹고 소리쳤어요.

"어서 집으로 돌아가자! 펜실베이니아에 대한 책 어딨지?" 잭이 물었습니다.

잭하고 애니는 허둥지둥 주위를 둘러보았습니다.

대체 펜실베이니아에 대한 책은 어디로 간 것일
까요? 프로그 숲의 그림이 있는 책인데. 그 책이 없
으면 잭하고 애니는 집으로 돌아갈 수가 없는데 말
이에요.

"아무 데도 없잖아!" 애니는 울음을 터트릴 것만

같은 목소리로 말했어요.

"어떻게든 해야 해! 빨리! 애니, 줄사다리를 거둬 올리자!" 잭이 말했어요.

잭하고 애니는 사다리의 끝부분을 잡아 당겨 오두막집 안으로 사다리를 거둬 올렸습니다.

하지만 키가 큰 닌자는 나무줄기로 펄쩍 뛰어올랐어요. 그러더니 나무를 기어오르는 것이 아니겠어요! 키가 작은 닌자도 그 뒤를 따랐지요. 둘은 마치 고양이처럼 나무를 탔습니다.

잭하고 애니는 구석으로 달려가 몸을 웅크렸습니다.

닌자들은 오두막집 안으로 들어왔어요. 둘 다 부스럭 소리 하나 내지 않고 말이에요.

4
잡혔다!

닌자들은 손에서 쇠로 된 띠를 벗었어요.

그 띠에는 발톱 모양의 날카로운 쇠못 같은 것이
박혀 있었습니다.

"저걸 이용해서 나무를 타고 올라왔나 봐." 애니
가 잭에게 속삭였어요.

닌자들이 잭과 애니를 날카로운 검은 눈으로 바
라보았습니다. 얼굴은 두 눈만 빼고 모두 검은 두건
으로 가리워져 있었습니다.

잭은 그 검은 눈빛에 그만 얼어버린 듯해 움직일 수가 없었어요.

하지만 애니는 조금도 얼지 않았어요. 오히려 한 걸음 다가서서 말을 걸었어요.

"안녕하세요?"

닌자들은 아무런 대꾸도 하지 않았어요. 조금도 움직이지도 않았죠. 잭처럼 그냥 가만히 있을 뿐이었어요.

"저희들은 모건 할머니를 도우려고 왔어요. 할머니는 우리 친구걸랑요." 애니가 말했습니다. 그러고는 모건 할머니가 쓴 쪽지를 들어 보였어요.

키가 큰 닌자가 애니에게서 그 쪽지를 받아 들더니 그것을 들여다보았습니다. 그러고는 키 작은 닌자에게 그 쪽지를 주었어요.

두 닌자는 서로 얼굴을 바라보더니 잭과 애니를 돌아보았습니다.

마침내 키 작은 닌자가 딱 한 번 고개를 끄덕였어

요. 그리고 자기 주머니에 그 쪽지를 넣었습니다.

"도와 주실 수 있어요?" 애니가 물었어요.

하지만 두 닌자는 아무 말도 하지 않았어요.

잭은 닌자들의 진짜 얼굴을 볼 수 있으면 좋겠다고 생각했습니다. 닌자들이 무슨 생각을 하고 있는지 도무지 알 수가 없었거든요.

키 작은 닌자가 줄사다리를 오두막집 밖으로 늘어뜨렸습니다. 키 큰 닌자가 사다리를 가리키더니 다시 잭하고 애니를 가리켰습니다.

'이크!' 잭은 아찔했어요.

잭하고 애니가 잡혀가게 된 걸까요?

"우리요? 같이 가자는 말이에요?" 애니가 물었습니다.

한 닌자가 고개를 끄덕였어요.

"와, 신난다!" 애니가 소리쳤어요.

'뭐 신난다고? 쟤가 지금 제정신이야?'

잭은 도무지 동생이 이해가 되지 않았어요.

키 작은 닌자가 사다리를 타고 쏜살같이 내려갔어요. 두 손으로 번갈아 사다리를 잡고 내려갔는데, 두 발은 전혀 사다리에 닿지도 않았어요.

키가 큰 닌자도 마찬가지였어요.

잭은 기가 막혔죠. 닌자들은 정말 빨랐어요. 거미줄을 타고 다니는 거미 같았습니다.

"와!" 애니가 감탄하며 소리쳤어요.

"지금 도망가야 해. 빨리!"

잭은 다시 오두막집 안을 두리번두리번 살폈습니다. 대체 그 펜실베이니아 책이 어디 있는 거야?

"오빠, 따라가자."

"안 돼! 넌 이게 무슨 컴퓨터 게임하는 건 줄 아니?" 잭이 인상을 찌푸리며 말했어요.

"하지만 모건 할머니에 대해서 뭔가 아는 것 같단 말이야." 애니도 조금도 굽히지 않았습니다.

애니는 사다리를 타고 내려가기 시작했어요.

"애니, 돌아와!" 잭이 소리쳤어요.

하지만 이미 늦어 버렸죠.

잭은 한숨을 내쉬며 중얼거렸어요.

"왜 만날 이런 일이 생기는 거지?"

"오빠, 어서 와!"

오두막집 아래에서 잭을 부르는 애니의 목소리가 들려 왔습니다.

잭은 공책과 닌자에 대한 책을 배낭 속에 넣었어요. 흘러내린 안경을 고쳐 쓰고 사다리를 따라 내려가기 시작했습니다.

마침내 땅에 발을 내딘 잭은 애니와 닌자들의 팀에 끼었습니다.

해는 이미 동산 뒤로 저물어 버렸습니다. 하늘은 붉은색과 황금색으로 물들었어요.

생쥐가 애니의 티셔츠 주머니에서 고개를 내밀었습니다.

"겁내지 마, 피너트. 우리가 돌봐 줄게." 애니가 속삭였어요.

'흥, 잘난 체하기는! 우릴 누가 돌봐 주냐?' 잭은 속으로 애니를 핀잔 주었습니다.

키 작은 닌자가 한 손으로는 잭의 팔을 잡고 다른 한 손으로는 애니의 팔을 잡았습니다. 그러고는 저녁놀이 비치는 가운데 아이들을 이끌고 어디론가 갔습니다. 키가 큰 닌자는 그 뒤를 따라 걸어왔죠.

"어디로 가는 거예요?" 잭이 물었어요.

닌자들은 물살이 세차게 흘러가는 계곡에 다다르자 멈추어 섰어요. 계곡물은 누가 빨리 흘러가나 시합을 하기라도 하는 듯 요란한 소리를 내며 흐르고 있었어요.

키 작은 닌자가 잭하고 애니를 바라보았습니다. 그러고는 잭과 애니의 팔을 놓더니 둘을 계곡물 쪽으로 밀었습니다.

"건너란 말이에요?" 애니가 소리쳤어요.

닌자가 고개를 끄덕였습니다. 그러더니 키 큰 닌자와 함께 거친 물결 속으로 발을 내디뎠습니다. 걸어서 물을 건너기 시작한 거예요.

"오두막집으로 도망치자!" 잭이 애니에게 소곤거렸어요.

"아냐, 따라가야 해! 모건 할머니를 위해서라도." 애니가 말했어요.

잭은 깊은 숨을 내쉬었습니다. 애니의 말이 옳았거든요.

애니가 잭의 손을 잡았습니다. 둘은 함께 물 속으로 발을 내디뎠어요.

"앗, 차가워!"

둘은 깜짝 놀라 소리를 지르며 발을 빼고 말았어요. 그렇게 차가운 물에 발을 담가 보기는 정말 태어나 처음이었거든요! 물은 얼음보다 더 차가웠습니다. 너무 차가워서 차라리 불에 덴 것 같은 느낌이 들었어요.

"난 못 들어가겠어." 애니가 진저리를 치며 말했어요.

"나도 못 하겠다. 심장이 멈추는 줄 알았어." 잭이 맞장구쳤습니다.

닌자들이 잭하고 애니를 바라보았어요. 그러더니 돌아서서 아이들에게로 왔습니다.

키 큰 닌자가 잭을 잡았습니다.

"살려줘요!" 잭이 소리쳤어요.

하지만 그 닌자는 잭을 공중으로 높이 들어 올리고는 잭을 자기 어깨에 얹어 목말을 태웠습니다. 키작은 닌자는 애니를 목말 태웠어요.

그런 다음 두 닌자는 다시 계곡물에 발을 내디뎠

습니다. 얼음처럼 차가운 계곡물이 닌자들의 몸 주변에서 소용돌이를 쳤어요. 계곡물은 작은 닌자의 허리까지 찼습니다.

하지만 닌자들은 물 위에 뜬 두 척의 배처럼 조금도 휘청거리지 않고 침착하게 계곡물을 헤치고 나아갔습니다.

5
안개 속의 횃불

계곡물은 다시 얕아졌습니다. 그러더니 마른 땅이 나왔습니다. 두 닌자들은 잭하고 애니를 땅에 내려놓았어요.

"고맙습니다." 애니가 인사를 했어요.

"고맙습니다." 잭도 덩달아 인사했죠.

"찍!" 생쥐도 거들었습니다.

닌자들은 아무 말 없이 주변을 두리번거렸습니다. 잭도 덩달아 두리번거렸습니다. 보름달이 떠올랐어요. 산자락에는 검푸른색을 띤 바위들이 군데군데 있었어요.

그 때 닌자들이 움직이기 시작했습니다. 그들은 바위 사이를 지나 산기슭을 소리 없이 올라갔습니다.

잭하고 애니도 그 뒤를 따라갔어요. 잭은 이제 닌자들이 두렵지 않았습니다. 솔직히 닌자들이 좋아지기 시작했거든요. 모건 할머니를 찾는 데 정말 도움이 될 수도 있다고 생각하게 되었습니다.

닌자들은 소리 없이 움직였어요.

하지만 잭하고 애니는 수없이 많은 소리를 내며 움직였지요.

둘은 바위가 많은 산기슭을 오르느라 헉헉댔어요. 물에 젖은 운동화에서는 찌꺽거리는 소리까지 났습니다.

갑자기 닌자들이 얼어붙은 듯 꼼짝도 하지 않았어요. 잭은 그들의 눈이 주위를 재빨리 훑고 있음을 볼 수 있었어요. 골짜기 아래에서 어떤 목소리가 들려 오고 있었어요. 잭은 안개 속에서 횃불이 이글거리는 것을 보았습니다.

닌자들은 더 빨리 움직이기 시작했어요. 잭하고 애니도 서둘러 그 뒤를 따라갔어요.

"누가 횃불을 들고 있는 거지?" 애니가 물었어요.

잭은 너무 숨이 차서 대답을 할 수가 없었죠. 그리고 사실 뭐라고 말을 해야 할지도 몰랐고요.

그들은 소나무 숲에 다다랐습니다. 밤새들이 지저귀고 있었어요. 바람이 나뭇가지들을 흔들었습니다.

닌자들은 귀신처럼 숲 속을 누비고 다녔어요. 달빛과 그늘 사이에서 사라졌다 나타났다 했죠.

잭하고 애니는 그들의 뒤를 따라가려고 무진 애를 썼습니다.

마침내 닌자들이 딱 멈추어 섰어요.

한 닌자가 손을 내밀었어요. 마치 '기다려'라는 말을 하려는 듯이.

그러더니 두 닌자가 나무 그늘 속으로 걸어갔습

니다. 그러고는 사라졌습니다.

"오빠, 닌자들이 어딜 갔지?" 애니가 물었어요.

"글쎄. 책을 보면 알 수 있을지 몰라." 그러고는 잭은 닌자에 대한 책을 배낭에서 꺼냈습니다.

책장을 넘기다 보니 동굴 그림이 나왔습니다. 잭은 보름달 빛을 이용해서 책을 읽었습니다.

때로 닌자들은 산 속 아무도 모르는 동굴에서 비밀스런 계획을 짜기 위해서 모임을 갖곤 했다.

"세상에! 닌자들은 숨겨진 동굴로 들어간 게 틀림없어." 잭이 말했어요.

잭은 공책과 연필을 꺼내서 이렇게 적었습니다.

비밀스런 동굴에서 모임.

잭은 책장을 넘겼습니다. 어떤 닌자가 돗자리 같

은 것 위에 앉아 있는 그림이 보였습니다. 거기엔 이렇게 적혀 있었습니다.

닌자들은 스승에게서 명령을 받는다. 스승은 신비롭고 아주 지혜로운 사람으로 자연의 많은 비법들을 알고 있다.

"와!" 잭이 나직한 감탄을 했어요.

바로 그 때 두 닌자들이 돌아왔습니다. 잭은 재빨리 책을 치웠어요.

키 작은 닌자가 잭과 애니에게 따라오라는 몸짓을 했어요. 그늘진 곳에 컴컴한 동굴 입구가 있었습니다.

"저 안엔 뭐가 있을까?" 애니가 속삭였습니다.

"닌자들의 스승." 잭이 소곤소곤 대답했습니다.

6
사무라이의 그림자

잭하고 애니는 굴 속으로 들어갔습니다. 둘은 닌자들을 따라 캄캄한 길을 걸어갔죠.

동굴 안쪽에는 촛불들이 수십 개 밝혀져 있었어요. 벽에 비친 그림자들이 촛불이 일렁일 때마다 춤을 추고 있었습니다.

춤을 추는 불빛 속에서 잭은 이리저리 엮은 돗자리 위에 앉아 있는 검은 물체를 보았습니다.

바로 '닌자들의 스승'이었어요!

44

아이들을 데려온 닌자는 자기의 스승에게 절을 했습니다. 그러더니 한쪽으로 물러났어요.

스승은 잭하고 애니를 바라보더니 말했습니다.

"앉거라."

잭하고 애니는 차갑고 딱딱한 바닥에 앉았어요.

"찍!"

생쥐가 애니의 주머니에서 고개를 내밀었습니다.

"괜찮아, 피너트." 애니가 소곤거렸어요.

스승은 잠시 생쥐를 지그시 바라보더니 다시 잭을 돌아보며 물었습니다.

"너희들은 누구냐?"

"저는 잭이고, 이 애는 제 동생 애니입니다." 잭이 대답했어요.

"어디서 왔느냐?" 스승이 물었어요.

"미국 펜실베이니아 주의 프로그란 마을에서 왔어요." 이번엔 애니가 대답했어요.

"어째서 이 곳으로 왔느냐?" 스승이 또 물었어요.

"모건 르 페이 할머니를 도우려고요. 할머니께서
저희에게 쪽지를 남기셨거든요." 잭이 말했습니다.

애니는 작은 닌자를 가리키며 말했어요.

"저 아저씨에게 그 쪽지를 주었어요."

"저 '언니'에게 그 쪽지를 주었단 말이겠지. 저 '언니'가 그걸 내게 주었다." 스승이 말했어요.

"언니라고요?" 잭하고 애니는 눈을 동그랗게 뜨고 똑같이 물었습니다.

언니라는 닌자의 눈이 반짝 빛났습니다. 잭은 그 여자가 미소를 지은 건지도 모르겠다고 생각했어요.

스승은 모건 할머니의 쪽지를 들어 보였습니다.

"내가 도울 수 있을 것도 같구나. 하지만 우선 너희들이 정말 내 도움을 받을 자격이 있는 아이들인지부터 증명을 해야겠다."

바로 그 때 키 큰 닌자가 나타났어요. 그는 스승에게 어떤 신호를 보냈습니다.

그러자 스승이 일어서더니 모건 할머니의 쪽지를 애니에게 건네 주었어요.

"우리는 지금 가야 한다. 사무라이가 가까이 왔다는구나."

"사무라이라고요?" 잭이 물었어요.

잭도 사무라이가 일본의 난폭한 무사라는 것쯤은 알고 있었습니다.

"골짜기에 있던 그 사람들이요? 횃불을 든 그 사람들 말인가요?" 잭이 또 물었어요.

"그래, 그들은 우리 집안의 원수들이다. 들키기 전에 여기를 떠나야만 해." 스승은 대답했습니다.

"그럼, 모건 할머니를 도와 주시는 일은 어떻게 해요?" 애니가 물었습니다.

스승은 칼을 차며 말했어요.

"지금은 시간이 없구나. 가야만 해."

"함께 가면 안 되나요?" 애니가 물었습니다.

"아니다. 우리가 가는 곳은 너희들이 있을 곳이 못 된단다. 너희들은 나무 위에 있는 집으로 돌아가는 길을 스스로 찾아야 할 게다."

"우리끼리 가라고요?" 잭이 물었어요.

"그래. 너희끼리 가야만 해. 그리고 사무라이를 조심하거라."

"어째서요?" 잭이 물었어요.

"너희들을 우리와 같은 편이라고 생각할 거야. 무턱대고 너희들을 해칠 것이 뻔하다."

"엄마야!" 애니가 나직이 소리쳤습니다.

"하지만 닌자들이 행동하는 것을 보았으니까 너희들도 직접 닌자처럼 행동할 수 있을 것이다." 스승이 말했어요.

"그렇지만 어, 어떻게?" 잭이 물었어요.

"세 가지를 기억하거라."

"예?" 잭은 잘 모르겠다는 듯 되물었어요.

"자연을 이용하고, 자연이 되고, 자연을 따르거라."

"스승 할아버지, 전 할 수 있어요!" 애니가 자신 있게 말했습니다.

잭은 애니를 바라보며 물었죠.

"할 수 있다고?"

스승은 잭을 보며 말했어요.

"나무 위에 있는 집은 동쪽에 있다. 그쪽으로 가거라."

'어떻게? 어떻게 동쪽을 찾는담?' 잭은 속으로 걱정되었지요.

잭이 미처 물어 보기도 전에, 스승은 두 아이에게 인사를 하더니 그늘 속으로 사라져 버렸습니다.

두 닌자들이 잭하고 애니를 동굴 밖, 달빛 속으로 데리고 나왔어요.

키가 큰 닌자가 소나무 숲을 가리켰습니다. 그러고 나서 두 닌자도 어둠 속으로 사라져 버렸습니다.

이제 잭하고 애니만 달랑 남았습니다.

7
동쪽으로

잭하고 애니는 한참을 멍하니 그 자리에 서 있었습니다.

애니가 먼저 입을 열었어요.

"키 큰 닌자 아저씨가 가리킨 쪽이 동쪽일 거야. 그리로 가야 할 것 같아."

"잠깐. 적어 둘 게 좀 있어." 잭이 말했어요.

잭은 공책을 꺼내서는 달빛에 비춰 가며 이렇게 적었습니다.

1. 자연을 이용하라.

2. 자연이 되어라.

3. 자연을 따르라.

"봐, 오빠! 나 닌자처럼 보이지?" 애니가 속삭였어요.

잭은 애니를 보았어요. 애니는 티셔츠 뒤에 달린 후드 모자를 뒤집어쓰고 끈을 꽉 잡아 당겨 묶고 있었습니다.

정말로 닌자 같았습니다. 아주 조그마한 닌자.

"좋은 생각이다."

잭도 후드 모자를 뒤집어썼습니다.

"됐다. 오빠, 가자."

잭은 공책을 집어 넣었습니다. 그런 다음에 둘은 동쪽을 향해서 숲 속으로 들어갔습니다.

두 아이는 나무들 사이를 빠져 나갔습니다. 이리저리 한참 동안 나무 사이를 헤집고 다녔어요.

그런데 문제가 생겼어요. 나무들이 다 똑같이 생겼다는 것이에요. 잭은 어리둥절했습니다. 정말 옳은 방향으로 가고 있는 것일까?

"잠깐." 잭이 말했어요.

애니도 멈추었습니다. 둘은 숲 주위를 둘러보았습니다.

"우리가 동쪽으로 가고 있는 게 맞을까?" 잭이 애니에게 물었어요.

"그렇겠지, 뭐." 애니가 대답했어요.

"짐작만 해서는 안 돼. 정확하게 알아야 한단 말이야." 잭이 말했어요.

"그렇지만 어떻게? 나침반도 없는걸!" 애니가 말했어요.

바로 그 때였어요. 잭은 닌자 스승의 말이 생각났어요.

"애니, 닌자 스승님이 자연을 이용하라고 하셨잖아."

"어떻게 자연을 이용해?" 애니가 물었어요.

"잠깐, 기억나는 게 있어." 그러고서 잭은 눈을 감았어요.

잭은 캠핑에 대한 책에서 읽은 것이 생각났습니다. '근데 그게 뭐였더라?'

잭은 눈을 뜨고 말했습니다.

"알았다! 우선 막대기가 있어야 해."

애니가 나무 막대기를 하나 주웠습니다.

"오빠, 여기 있어."

"됐어! 이제 달빛이 비치는 자리만 찾으면 돼." 잭이 말했어요.

둘은 그늘진 곳 가운데서 달빛이 잘 드는 자리를 찾아 옮겼습니다.

"애니, 이제 막대기를 땅에 꽂아."

애니가 막대기를 땅에 꽂았습니다.

"막대기의 그림자가 15센티미터가 넘는 것 같은데 네가 보긴 어때?" 잭이 물었어요.

"맞는 것 같아." 애니가 대답했습니다.

"그럼 이 그림자는 동쪽을 가리키는 게 맞아." 잭이 의젓하게 말했어요.

"멋진데!" 애니가 감탄하며 외쳤습니다.

"그러니까 이쪽이 동쪽이야! 지금은 이 방법밖에 없어."

잭은 새로운 방향을 가리켰어요.

"이제 우리는 진짜 닌자들이다!" 애니가 말했어요.

"그렇고말고! 닌자가 뭐 별거냐? 애니, 어서 가자!"

잭하고 애니는 동쪽이기를 바라는 방향을 향해 걸어가기 시작했어요.

곧 둘은 소나무 숲을 벗어나서 바위가 많은 산비탈을 내려가게 되었습니다. 아이들은 이 바위에서 저 바위로 천천히 움직였어요. 그러다가 마침내 어떤 커다란 바위에 기대어 쉬기로 했습니다.

"다시 방향을 알아보자." 잭이 말했어요.

애니가 또 다른 막대기를 흙에 꽂았어요.

"저기! 저쪽이다!"

잭이 땅에 생긴 그림자를 가리켰습니다.

"엄마야!" 애니가 목소리를 죽여 짧게 외쳤어요.

잭이 고개를 들었습니다. 잭은 심장이 거의 멈출 뻔했어요.

횃불이 산을 거슬러 올라오고 있었거든요. 사무라이들이었습니다!

잭하고 애니는 바위 뒤에 몸을 숨겼습니다.

"찍!"

생쥐가 울었습니다.

"조용히 해, 피너트." 애니가 소곤댔어요.

잭은 배낭에 손을 뻗어서 닌자에 대한 책을 꺼냈습니다.

"책에 도움이 될 만한 게 뭐 좀 있었으면 좋겠는데." 잭은 혼자말로 중얼거렸습니다.

잭은 책장을 한 장 한 장 넘기다가, 마침내 찾던 것을 발견했습니다. 그것은 대나무로 된 갑옷을 입

고 있는 무사들이 그려진 그림이었어요. 무사들의
손에는 긴 칼이 들려 있었죠. 거기엔 이렇게 적혀
있었습니다.

사무라이는 일본의 난폭한 싸움꾼이었다. 그들은 적
들을 해치기 위해서 긴 칼을 두 자루나 가지고 다녔다.

애니가 잭의 어깨를 톡톡 쳤어요.

잭은 애니를 바라보았습니다.

애니가 위쪽을 가리켰어요.

어떤 사람이 두 아이가 있는 쪽으로 내려오고 있었습니다. 가까이, 점점 더 가까이.

달빛을 받아 그 사람이 입은 대나무 갑옷이 번득였습니다. 긴 칼 두 자루도 번뜩였습니다.

'사무라이 무사다!'

8
닌자 스승의 교훈

잭하고 애니는 함께 몸을 웅크렸어요. 앞으로 가도 사무라이가 있고, 뒤로 가도 사무라이가 있었습니다. 꼼짝없이 갇힌 꼴이 되었어요!

잭은 바위에 몸을 더욱 바싹 붙였습니다.

무사는 점점 더 가까이 다가왔습니다. 무사는 오른쪽 왼쪽을 살폈어요.

잭은 마른침을 삼켰습니다.

"자연이 되어라." 애니가 속삭였어요.

"뭐?" 잭이 숨을 죽이며 물었어요.

"자연이 되라고! 바위가 되란 말이야."

말도 안 되는 일이라고 잭은 생각했습니다. 어리석은 짓이라고.

하지만 두 눈을 질끈 감고서는, 정말 바위 덩어리의 일부가 되어 보려고 애를 썼습니다.

잭은 바위처럼 가만히 있으려고 애썼습니다. 바위처럼 단단하게. 바위처럼 묵묵하게.

곧 잭은 자기가 바위처럼 강해진 기분이 들었습니다. 바위처럼 굳건하게. 잭은 영원히 바위처럼 살고 싶었습니다.

"찍!"

"갔다. 모두 다 갔어." 애니가 소곤거렸어요.

잭은 눈을 떴습니다. 사무라이 무사는 가고 없었어요. 잭은 일어서서 바위 너머를 바라보았습니다. 횃불들도 다 사라지고 없었지요.

"가자." 애니가 말했습니다.

잭은 깊은 숨을 내쉬었습니다. 기분이 썩 좋았습니다. 조금씩 조금씩 자기가 정말 닌자가 되어 가는 듯했거든요. 어쩌면 닌자 스승처럼 되어 가는 듯하기도 했습니다.

"동쪽으로!" 잭이 말했어요.

그리고 둘은 동쪽으로 갔어요. 바위 사이를 헤치며 산을 내려갔습니다. 얼음처럼 차가운 널찍한 계곡에 이를 때까지.

물은 아까보다 훨씬 더 넓어 보였습니다.

"오빠, 오두막집이 보이지 않아." 애니가 걱정스런 목소리로 말했어요.

잭은 계곡물 건너편에 있는 어두컴컴한 나무들을 바라보았습니다. 새하얀 벚꽃이 달빛을 받아 푸르스름하게 보였습니다. 그런데 마법의 오두막집은 어디에 있을까요?

"내 눈에도 보이지 않는걸. 우선 계곡부터 건너야 해. 그런 다음에 찾아보도록 하자." 잭이 말했어요.

　계곡물은 바위에 세차게 부딪혀서 부서지며 흘러
내려 가고 있었어요.

　"찍!"

　생쥐가 주머니에서 고개를 내밀었습니다.

　"걱정하지 마. 우리처럼만 해. 닌자들처럼 말이
야." 애니가 생쥐의 조그만 머리를 쓰다듬으며 말했
어요.

"가자." 잭이 말했어요.

잭은 깊은 숨을 들이쉰 뒤에 물 속에 발을 디뎠어요. 얼음처럼 차가운 물이 무릎 언저리에서 소용돌이를 쳤습니다. 물살이 하도 거센 바람에 잭은 그만 넘어지고 말았어요.

잭은 근처에 있는 풀을 잡았습니다. 물살이 소용돌이를 치는 동안 잭은 풀을 꽉 잡고 있었습니다.

너무 차가워서 얼어 죽을 것만 같았습니다!

"오빠!"

애니가 잭의 팔을 잡았습니다. 애니는 오빠가 물가로 나올 수 있도록 도왔습니다.

"큰일날 뻔했다!" 애니가 말했어요.

잭은 안경을 닦았어요. 안경이 물에 휩쓸려 내려가지 않은 것만도 다행이었어요.

"괜찮아?" 애니가 물었어요.

"안…… 괜, 찮, 아." 잭이 이를 딱딱 부딪혀가며 대답했어요.

잭은 뼛속까지도 시렸습니다.

"이러다 영원히 못 건너겠어. 까딱하다가는 물에 빠져 버릴 거야." 애니가 걱정하며 말했어요.

"아니면 어, 얼어 죽거나." 잭이 말했습니다.

잭은 후드 모자를 벗었어요. 이제는 자기가 닌자 같다는 생각이 별로 들지 않았어요.

애니도 모자를 벗고선 한숨을 쉬며 말했습니다.

"오빠, 이제 어쩌지?"

"찍!"

피너트가 애니의 주머니에서 기어 나와서는 땅에 폴짝 뛰어내렸어요.

생쥐는 쪼르르 달려갔어요.

"피너트, 돌아와!" 애니가 불렀습니다.

"아냐! 피너트를 따라가야 해." 잭이 애니를 말렸어요.

"어째서?" 애니가 물었습니다.

"스승님이 말씀하신 대로 해야 하잖아. 자연을 따르라." 잭이 말했어요.

"아, 맞아!" 애니가 맞장구를 치며 외쳤어요. "피너트를 따르라! 근데 피너트는 어디 갔지?"

달빛 속에서 잭은 작은 생쥐를 찾았습니다. 피너트는 계곡가에 난 풀을 따라서 뛰어가고 있었어요.

"저기다! 애니, 빨리 와!" 잭이 외쳤어요.

애니는 잭의 뒤를 따라 헐레벌떡 뛰었습니다. 잭

도 피너트의 뒤를 따라 헐레벌떡 뛰었습니다. 두 아이는 콸콸 흘러가는 계곡물을 따라서 달렸어요.

제법 굵다란 나뭇가지가 계곡의 폭이 좁은 곳에 쓰러져 달빛에 빛나고 있었어요. 양쪽 끝이 계곡의 양쪽 기슭에 닿아 있었습니다.

생쥐는 그 나뭇가지 위를 달리고 있었어요.

"오빠, 피너트가 다리를 건너고 있어!"

애니도 생쥐를 따라가기 시작했습니다.

"잠깐! 거기로는 건널 순 없어! 너무 가늘어서 부러지고 말 거야!" 잭이 소리를 질렀어요.

9
피너트처럼

생쥐는 계곡 반대편의 키 큰 풀숲으로 사라져 버렸습니다.

잭하고 애니는 나뭇가지를 바라보았어요.

"건너려고 애를 써 봐야지. 자연을 따르기로 했잖아." 애니가 말했어요.

"됐어. 너무 가늘어서 금방 부러질 게 뻔해." 잭이 말렸어요.

"오빠, 우리가 생쥐가 된 척하고 건너면 할 수 있

을지 몰라."

"됐어! 애니, 제발 그만 해!"

"바위 노릇도 했는데 생쥐 노릇이라고 못 할까 봐? 아주 조그맣고 가볍고 빠르게 하면 되잖아." 애니는 고집을 굽히지 않았어요.

잭은 깊은 숨을 내쉬었습니다.

"반드시 건너야 해." 애니가 말했어요.

"알았어." 잭은 마지못해 대답했어요.

"'찍' 소리를 내 봐." 애니가 잭에게 시켰습니다.

"웃기는 소리 좀 그만 해!" 잭이 말했어요.

"시키는 대로 한번 해 봐. 그렇게 하면 생쥐로 변신했다고 생각하는 데 도움이 될 거야."

잭은 궁시렁궁시렁댔어요.

"알았어. 찍."

"나도 알았어. 찍!"

애니도 쥐 소리를 냈어요.

"찍, 찍, 찍!"

둘은 함께 쥐 소리를 냈어요.

"가자, 어서!" 애니가 재촉했습니다.

잭은 나뭇가지에 올라섰습니다.

'나는 아주 조그맣고, 가볍고, 빠르다.' 잭은 그렇게 생각을 했어요. 그런 다음에 나뭇가지를 재빨리 건넜습니다.

워낙에 빨리 움직이느라 잭은 아무 생각도 할 수가 없었습니다. 반드시 건너야 한다는 생각밖에는 말이에요.

잭은 거칠고 차가운 물도 잊어버렸습니다. 나뭇가지가 얼마나 가느다란지도 잊어버렸습니다.

그런데 갑자기 계곡의 반대편에 닿아 있었습니다. 애니도 벌써 옆에 와 있었고요.

둘은 웃으며 함께 풀밭에 주저앉았습니다.

"봤지! 봤지! 나뭇가지가 부러지지 않았잖아!" 애니가 말했어요.

"튼튼한 나뭇가지일 거라고 생각했어. 정신을 똑

71

바로 차려야 한다고 생각했어." 잭이 말했어요.

"피너트처럼." 애니가 말했죠.

"그래." 잭이 미소를 지었어요. 기분이 아주 좋았거든요.

잭은 물에 빠졌던 탓에 아직도 온몸이 젖어 있었어요. 하지만 이제는 괜찮았어요.

잭은 안경을 고쳐 쓰고 일어섰습니다.

"이제 마법의 오두막집만 찾으면 돼."

"그럴 것 없어." 애니가 위쪽을 가리켰어요.

나무 위에 있던 오두막집이 달빛이 환한 하늘에 어슴푸레 보였어요. 하얀 벚꽃에 둘러싸여 있었죠.

멀리서 사람들의 목소리가 들려 왔어요. 그 때 잭의 눈에 횃불이 보였습니다.

"사무라이들이 돌아왔어. 가야 해." 잭이 나직이 말했어요.

"피너트는 어디 있지? 두고 갈 순 없잖아." 애니가 말했습니다.

"가야 해." 잭의 목소리가 아주 커졌어요.

사무라이들의 목소리가 점점 가까워지고 있었습니다. 횃불도 마찬가지였어요.

"어서!"

잭이 재촉했어요. 잭은 애니의 손을 잡았습니다. 그리고 사다리로 애니를 밀어 올렸습니다.

"오빠!"

애니는 안타까운 목소리로 잭을 불렀어요.

"올라가! 어서!"

애니는 사다리를 오르기 시작했어요.

잭은 그 뒤를 따랐습니다. 잭도 마음이 아프긴 마찬가지였어요. 잭도 이제는 그 조그만 생쥐를 좋아하게 되었거든요. 그것도 아주 많이.

둘은 계속해서 오르고 또 올랐습니다.

맨 꼭대기에 이르기 직전에 잭은 어떤 소리를 들었습니다.

"찍!"

"어머나! 피너트가 안에 있어!" 애니가 기뻐 소리를 질렀어요.

애니는 마법의 오두막집에 올라갔습니다. 잭이 그 뒤를 따랐어요.

잭은 헉 하고 놀랐습니다.

'다른 사람이 오두막집 안에 있나 봐!'

검은 그림자 하나가 구석에 앉아 있었어요.

"잘 했다." 그 그림자가 말을 했어요.

바로 닌자들의 스승이었어요.

"너희들 진짜 닌자들처럼 아주 잘 했다." 스승이 말했어요.

"후유."

잭은 다행이다 싶어 한숨을 내쉬었어요.

"찍!"

스승의 손에 피너트가 들려 있었습니다.

"이 생물을 잘 돌보거라. 작지만 너희들에겐 큰 도움이 될 것이다." 스승은 생쥐를 애니에게 건네

74

주며 말했어요.

애니는 생쥐의 조그만 머리에 뽀뽀를 했습니다.

"그리고 이것을 받거라."

스승은 잭에게 손을 내밀었습니다.

스승은 잭에게 작고 동그란 돌을 주며 말했습니다.

"이 문스톤*은 너희들이 사라진 친구를 찾는 데 도움이 될 것이다."

잭은 그 돌을 찬찬히 바라보았습니다. 이게 네 가지 물건 중 하나일까?

"이제 돌아가야 한다." 스승이 말했어요.

스승은 펜실베이니아에 대한 책을 집어 들어 애니에게 건네 주었습니다.

"어디서 찾으셨어요?" 잭이 물었습니다.

"여기서. 아까는 찾지 못했지? 그게 다 너희들의 마음이 아직 끝내지 못한 일이 있다는 것을 알고 있

---

*문스톤(Moonstone): 월장석이라고도 부르는 문스톤은 특정한 방향에서 보면 청색을 띤 빛을 내는 돌로, 대개는 우윳빛이며 투명하거나 반투명하다고 합니다. 주로 장식물로 쓰인다고 합니다. (옮긴이)

었던 탓이란다." 스승은 대답했습니다.

"스승님은요? 저희랑 가실 수 있으세요?" 애니가 물었습니다.

"맞아요. 모건 할머니 찾는 일을 도와 주세요." 잭도 부탁했어요.

스승은 미소를 지었습니다.

"안 되겠구나, 애들아. 나는 여기 있어야만 한단다. 너희들이 모건을 돕는 동안 여러 가지 도움을 받게 될 것이다. 하지만 결국에는 모든 것을 스스로 알아서 해야만 한다."

애니는 책을 펼쳤습니다. 프로그 마을의 그림을 찾아 냈습니다.

애니는 그림을 가리키고 말했습니다.

"이 곳에 가고 싶다."

바람이 불기 시작했습니다.

벚꽃이 흔들리기 시작했습니다. 구름이 달을 가렸어요.

"잊지 말거라. 친절한 마음을 가져야 한다." 닌자 스승이 말했습니다.

그러더니 스승은 소리 없이 사다리를 타고 캄캄한 밤의 어둠 속으로 사라져 버렸습니다.

"기다려 주세요!" 잭이 소리쳐 불렀어요. 잭은 스승에게 물어 보고 싶은 것이 아주 많았거든요. 자연에 대해서, 닌자에 대해서, 닌자들이 하는 일에 대해서.

하지만 마법의 오두막집은 벌써 빙빙 돌기 시작했어요.

점점 더 빨리!

잭은 닌자들의 스승이 준 돌을 꽉 쥐었어요. 그리고 두 눈을 질끈 감았습니다.

잠시 후 갑자기 사방이 조용해졌어요. 쥐죽은듯이.

10
잘 자라, 피너트

잭은 눈을 떴습니다. 그리고 손을 펼쳤습니다.

잭은 자기 손에 있는 문스톤을 바라보았습니다. 맑고 부드러웠어요. 어떻게 보면 빛이 나는 것도 같았죠.

"드디어 돌아왔어." 애니가 말했어요.

"찍!"

애니와 생쥐가 창 밖을 내다보고 있었습니다.

잭도 함께 밖을 보았어요.

해가 멀리서 지고 있었습니다.

'프로그에서는 시간이 멈추어 있었어.'

이웃집 강아지가 짖는 소리가 들려 왔어요. 헨리가 짖고 있었습니다. 귀뚜라미 울음소리도 들려 왔어요.

멀리 아빠가 집에서 나오는 모습이 보였어요. 아빠는 집 앞에 서 계셨어요.

"잭! 애니!"

아빠는 두 아이들을 불렀습니다.

어느 새 저녁밥을 먹을 시간이 되었던 것입니다.

"가요!" 애니가 크게 소리쳤습니다.

잭은 무릎을 꿇고 앉았어요. 다시 문스톤을 들여다보았죠.

"애니, 이제 네 가지 중에 한 가지는 찾은 것 같아."

"오빠, 내일 나머지 세 가지를 찾아보자."

잭은 고개를 끄덕였어요. 아직도 잭과 애니에게

는 할 일이 아주 많이 남아 있었습니다.

잭은 문스톤을 주머니에 넣고 배낭을 멨습니다.

"준비 됐어?" 잭이 애니에게 물었어요.

"잠깐만!"

애니는 운동화를 한 짝 벗었어요. 양말도 벗었죠. 그러더니 다시 운동화를 신었습니다.

"뭐 하는 거야?" 잭이 물었어요.

"잠자리를 만드는 거야." 애니가 대답했어요.

"뭐라고?"

"잠자리! 피너트가 잘 자리 말이야."

애니는 생쥐를 들어서 자기 양말 안쪽으로 집어 넣었습니다.

"잘 자라, 피너트." 애니가 생쥐에게 상냥하게 말했어요.

"찍!"

"하여튼 못 말려!"

잭이 혀를 끌끌 찼습니다.

애니는 생쥐를 잭에게 가까이 갖다 보였어요.

"잘 자라고 뽀뽀해 줘야지, 오빠." 애니가 말했습니다.

"웃기는 소리 하지 마. 어서 가자." 잭은 기가 막히다는 듯 말했어요.

"도와 줘서 정말 고마워." 애니는 생쥐에게 말했습니다.

애니는 조심스레 생쥐를 희미하게 빛나는 M자 위에 내려놓았어요. 그리고 주머니에서 모건 할머니의 쪽지를 꺼내서는 생쥐 바로 옆에 놓았습니다.

"내일 만나자."

애니는 그렇게 말을 하고는 사다리를 내려가기 시작했어요.

잭은 생쥐를 물끄러미 바라보았어요. 생쥐도 잭을 뒤돌아보았습니다.

아주 잠시 동안, 잭에게는 생쥐의 검은 눈동자가 지혜로운 할머니의 눈동자처럼 보였어요.

"가자, 오빠!" 애니가 불렀습니다.

잭은 생쥐의 조그만 머리에 뽀뽀를 해 주었어요.

"잘 자라, 피너트." 잭은 속삭였어요. 그러고는 사다리를 내려갔습니다.

사다리를 내려가는 동안에도 주위는 점점 더 어두워졌어요.

잭이 땅바닥에 내려섰을 무렵에는 어느 새 아주 캄캄해져 버렸습니다.

"어디 있니?" 잭이 애니를 불렀습니다.

"여기 있어." 애니의 대답이 들렸어요.

애니의 손이 불쑥 잭의 손을 쳤어요. 잭은 동생의 손을 잡았습니다.

"조심해." 잭이 말했어요.

"오빠나 조심해." 애니도 말했습니다.

둘은 사이좋게 손을 잡고서는 서늘하고 깜깜한 숲을 빠져 나왔습니다.

잭하고 애니는 집으로 돌아가는 두 명의 검은 무

사들처럼 소리 없이, 재빠르게, 마치 그림자들처럼
달렸습니다.

지은이 | **메리 폽 어즈번**

메리 폽 어즈번은 미국에서 태어났다. 노스캐롤라이나 대학에서 연극을 공부했고, 그리스 신화와 종교에 매료되어 종교학을 공부하기도 했다. 졸업 후에 그리스의 크레타 섬에 있는 동굴에서 생활하기도 했고, 유럽 친구들과 함께 이라크, 이란, 인도, 네팔 등을 비롯한 아시아 16개국을 자동차로 여행하기도 했다. 여행 중에 아프가니스탄에서 지진을 겪기도 하고, 히말라야에서 독이 몸에 퍼져 목숨을 잃을 뻔하기도 했다. 고향으로 돌아온 뒤에는 윈도 디스플레이어, 병원 조무사, 식당 종업원, 바텐더, 어린이 책 잡지 편집자 등 다양한 직업을 가지며 생활했다. 워싱턴에서 관광 가이드로 지내던 중 연극배우이자 감독, 극작가인 지금의 남편 윌 어즈번을 만나 결혼했다.

청소년을 위한 소설 『최선을 다해 뛰어라』라는 작품을 쓰게 되면서부터 본격적으로 작가 생활을 시작했다. 지금까지 17여 년 동안 50여 권 이상의 어린이 책을 썼다. 대표 작품인 『마법의 시간여행 *Magic Tree House*』 시리즈는 공룡, 중세 기사, 미라, 해적 등 다양하고 폭넓은 주제를 다룬 본격 어린이 교양서로 어린이들로부터 열렬한 사랑을 받고 있다.

옮긴이 | **노은정**

연세대학교 영어영문학과를 졸업했다. 어린이 애니메이션 전문 번역가로 활동하고 있다. 옮긴 작품으로는 『존슨과 친구들』, 『꾸러기 코스타』, 『영차영차 꼬마트럭 삼총사』 등이 있다. 그 외에 옮긴 책으로는 『성공하는 여성들의 심리학』, 『행복의 발견』, 『행복을 부르는 12가지 주문』, 『올드 레이디 투자 클럽』 등이 있다.

마법의 시간여행 5
닌자가 알려 준 세 가지 비밀

메리 폽 어즈번 지음 / 살 머도카 그림 / 노은정 옮김

1판 1쇄 펴냄—2002년 6월 17일
1판 3쇄 펴냄—2002년 11월 22일

펴낸이 박상희
펴낸곳 (주)비룡소
출판등록 1994. 3. 17.(제16–849호)
주소 135–887 서울시 강남구 신사동 506 강남출판문화센터 5층
전화 영업(통신판매) 515–2000(내선1) / 팩스 515–2007 / 편집 3443–4318~9
홈페이지 www.bir.co.kr
값 6,500원

ISBN 89–491–5059–X 73840
ISBN 89–491–5054–9 (세트)